1. LES ENFANTS DE LA NUIT

Korrigans

SCÉNARIO
THOMAS MOSDI

DESSIN ET COULEURS
CIVIELLO

Pour Maman, et Hélène qui avec beaucoup de courage a supporté mon dos pour seule compagnie,
et merci à "Piet-Sans-Trace" pour ses visites...
                                            Man

À Stéphane Daudier et tous ceux, auteurs ou joueurs, qui, un jour, se sont aventurés
dans l'univers des "Légendes Celtiques".
                                            T.M.

Du même dessinateur, chez le même éditeur :
• La Graine de folie (trois volumes)

De cet ouvrage a été édité par la librairie Folle Image un tirage limité à 350 exemplaires numérotés et signés,
et 50 exemplaires hors-commerce réservés aux auteurs et collaborateurs.

Dépôt légal : septembre 2000. I.S.B.N. : 2-84055-411-9

Lettrage : Jean-Marc Mayer
Conception graphique : Trait pour Trait

Achevé d'imprimer en novembre 2000
sur les presses de l'imprimerie Lesaffre, à Tournai, Belgique.
Relié par Ouest Reliure à Rennes.

www.editions-delcourt.fr

rlande, province
d'Ulster.
An Mille cent
de notre ère.
Première nuit de
Novembre ...

4

CROIS-TU QUE CE SOIT LE MOMENT DE VOMIR DE TELS BLASPHÈMES ?!

IL N'Y A PAS DE BLASPHÈME DANS CE QUE JE DIS...

TAIS-TOI! TU OUTRAGES NOTRE SEIGNEUR ET TU METS EN PÉRIL LE SALUT DE TON ÂME! ...

...CES SUPERSTITIONS SONT L'ŒUVRE DU DIABLE, NE LE SAIS-TU PAS ENCORE ?!

NE T'INQUIÈTE PAS, ILS VONT SE CALMER ET NOUS ALLONS RETROUVER NOTRE ROUTE...

GRANPA' C'EST QUOI LA NUIT DE SAMAIN ?!

DANS UN LOINTAIN PASSÉ, SAMAIN MARQUAIT LE DÉBUT DE LA NOUVELLE ANNÉE. NOS ANCÊTRES...

...CROYAIENT QUE DES PASSAGES S'OUVRAIENT DURANT LA NUIT POUR NE SE REFERMER QU'AUX PREMIÈRES LUEURS DU JOUR...

...DES PASSAGES UNISSANT NOTRE TERRE AU MONDE DES DIEUX DES TEMPS HÉROÏQUES...

...ET DES CRÉATURES ENCHANTÉES!...

SEIGNEUR!!

!!

RRROOOOOMM·M·BBROMBOLOM

LUAAÏNE!!

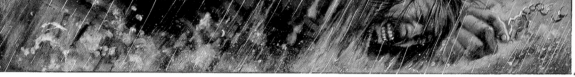

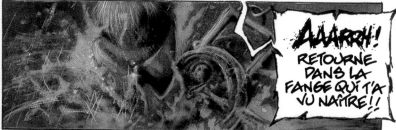

EST-CE QUE MON PÈRE EST MORT ? ...

ET SI TU SUIVAIS CES MISÉRABLES AFIN DE SAVOIR OÙ ILS EMMÈNENT LEURS CAPTIFS ! NOUS NOUS RETROUVERIONS ENSUITE AU VILLAGE...

J'Y VAIS !

TU T'APPELLES WAÎNE, N'EST-CE PAS ? ...

OUI...

EH BIEN, WAÎNE, SI TU EN AS LE COURAGE, MAINTENANT NOUS POURRIONS OFFRIR UNE SÉPULTURE À TON PÈRE...

...APRÈS TOUT, NOUS AVONS FAIT TOUT LE TRAVAIL, PRIS TOUS LES RISQUES, ET NOUS MÉRITONS BIEN UNE RÉCOMPENSE!

L'EXISTENCE DU VIEUX VA OCCUPER BALOR UN BON MOMENT! QU'IL SE GAVE DE SA CERVELLE RAMOLLIE ENCORE ET ENCORE!....

..."NOUS GARDONS LA FEMELLE! LA BOUGRESSE EST GIRONDE! JE VOUS PROMETS UN FESTIN...

..."DONT VOUS VOUS SOUVIENDREZ LONGTEMPS!

OUIII!

HÉ! HÉ! HÉ!

EN VOILÀ UNE BONNE IDÉE!

15.

17

VENEZ TOUS! VITE!!

EOLAS A FRANCHI LE PASSAGE D'ENTRE LES MONDES! ...

QUE LUG NOUS PROTÈGE!

LAISSEZ-MOI VOUS EXPLIQUER ...

ES-TU DEVENU COMPLÈTEMENT FOU?!

QU'AS-TU FAIT, MALHEUREUX ?!...

TU AS TRANSGRESSÉ L'INTERDIT ...

...ET TU RAMÈNES CETTE ENFANT CHEZ NOUS!

PAR LE FEU DU CIEL! NOUS SOMMES PERDUS!

16.

SILENCE!!

NOTRE REINE DÉSIRE VOIR EOLAS SUR-LE-CHAMP! LAISSEZ-LE PASSER!

QUE VA-T-IL SE PASSER MAINTENANT?

DEIDRÉ A CONVOQUÉ LE CONSEIL DE NOTRE CLAN AFIN DE DÉTERMINER CE QU'IL ÉTAIT POSSIBLE D'ENTREPRENDRE, COMPTE TENU DE LA GRAVITÉ DE LA SITUATION...

CE SEIGNEUR BALOR DONT VOUS AVEZ PARLÉ, EST-IL SI MÉCHANT QUE ÇA? ...

IL L'EST, WAÏNE! ET PLUS ENCORE! IL EST LE MAÎTRE DU CHAOS ET DES TÉNÈBRES! IL RÈGNE SUR LE REDOUTABLE PEUPLE DES FOR-MOÏRES ET TIENT NOTRE ÎLE...

...SOUS SON JOUG IMPLA-CABLE! SES POUVOIRS SONT IMMENSES!

LORSQUE SON TROISIÈME OEIL S'OUVRE, IL PEUT FOUDROYER DES ARMÉES ENTIÈRES! MAIS CE N'EST PAS TOUT! DEPUIS DES GÉNÉRATIONS MON PEUPLE EST RETENU CAPTIF SUR CETTE ÎLE, OÙ IL NE COMPTE AUCUN ALLIÉ!...

CE QUI EXPLIQUE L'HOSTILITÉ MONTRÉE PAR LES MIENS TOUT À L'HEURE! EN DÉCIDANT DE T'AMENER ICI...

...ET JE NE REGRETTE NULLEMENT DE L'AVOIR FAIT, J'AI MIS EN DANGER UN ÉQUILIBRE EXTRÊMEMENT FRAGILE!

MAIS POURQUOI ÊTES-VOUS...

22.

NOUS ALLONS TENTER DE DÉLIVRER LA MÈRE DE WAINE CETTE NUIT! PENDANT QUE NOS GUERRIERS IRONT AU COMBAT, LE RESTE DU VILLAGE PRÉPARERA NOTRE FUITE DANS LES MONTAGNES...

LES GALERIES DE NOS MINES, FORMENT UN DÉDALE CONNU DE NOUS SEULS! NOUS NOUS Y CACHERONS LE TEMPS QU'IL FAUDRA!

"LE TEMPS QU'IL FAUDRA" MAJESTÉ! QUE VOULEZ-VOUS DIRE? ...

NOUS EN PARLERONS PLUS TARD! IL FAUT VOUS PRÉPARER! ...

ET MON GRAND-PÈRE... MAJESTÉ? ...

LE CONSEIL A ENVISAGÉ UN MOYEN DE LUI PORTER SECOURS! MAIS DE CELA AUSSI NOUS PARLERONS PLUS TARD! DANS L'IMMÉDIAT, NOUS DEVONS NOUS OCCUPER DES CLURICAUNES!

23.

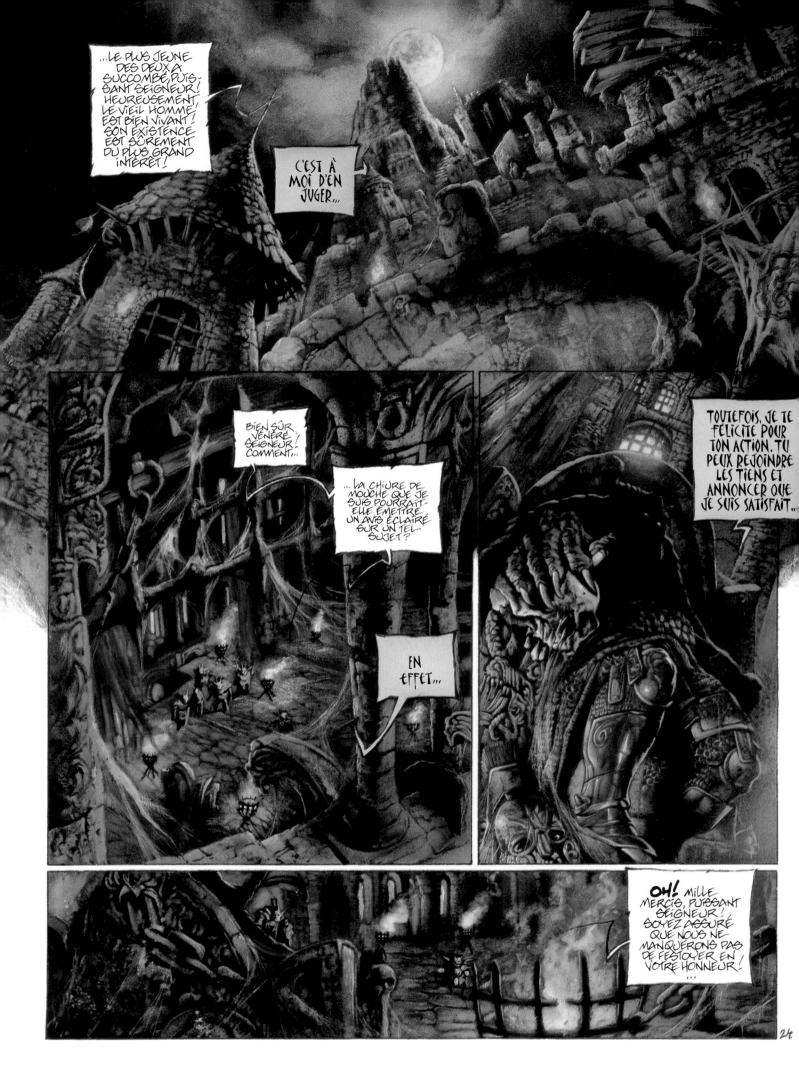

VA,
MAINTENANT !
JE T'AI
ASSEZ VU !...

TOUT DE SUITE,
REDOUTÉ
SEIGNEUR !
C'EST COMME
SI JE N'ETAIS
PLUS LÀ !

EMMENEZ LE
PRISONNIER !
J'ARRIVE
DANS UN
INSTANT !

ABACC !...
J'AI ENCORE
UNE QUESTION
À TE POSER !

??

OUI,
PUISSANT
SEIGNEUR
!?...

25.

27

FFRRRRR...

ROUiiiii...

ROUiii

GGHH...

ROUiii

STAGAR!

JE SUIS DANS LA SALLE BASSE DU DONJON, PÈRE! JE N'AI RIEN PERDU DE CE QUI VIENT D'ÊTRE DIT...

QUELS SONT TES ORDRES?

VÉRIFIE QUE L'HUMAINE SE TROUVE BIEN DANS LA FORÊT TÉNÉBREUSE...

ïïEEK?

...ET ASSURE-TOI QUE LA FILLETTE N'EST PAS DANS NOTRE MONDE... ELLE POURRAIT AVOIR FRANCHI LE PASSAGE...

28

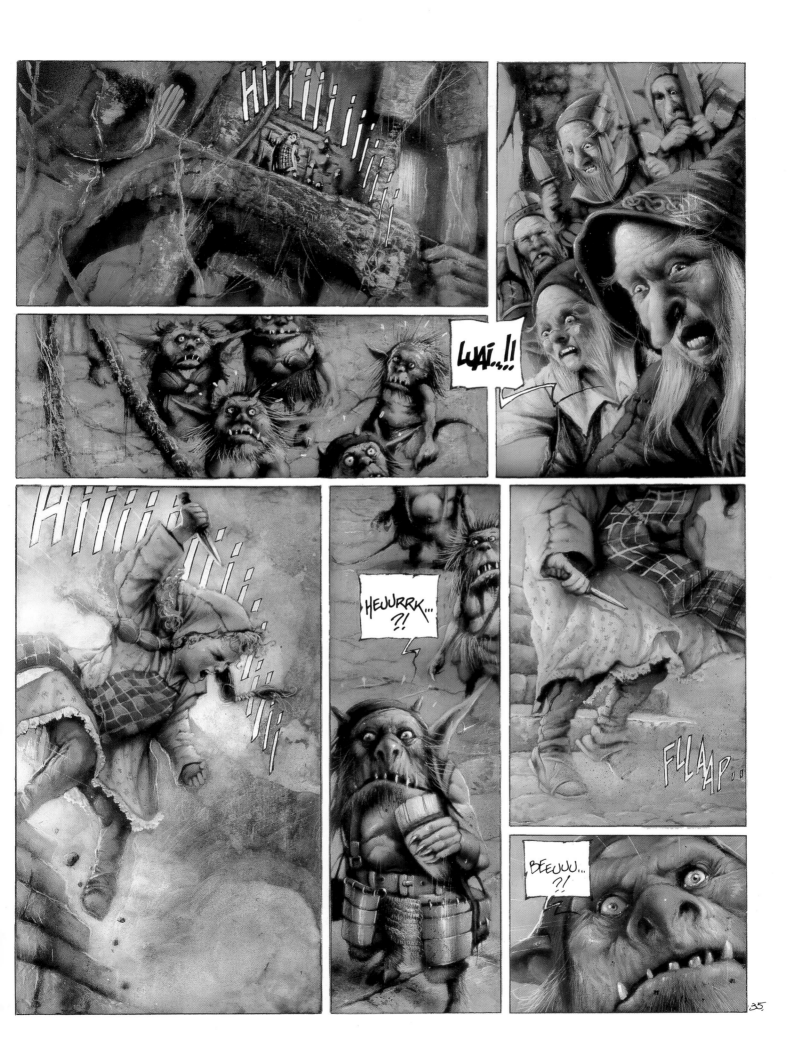

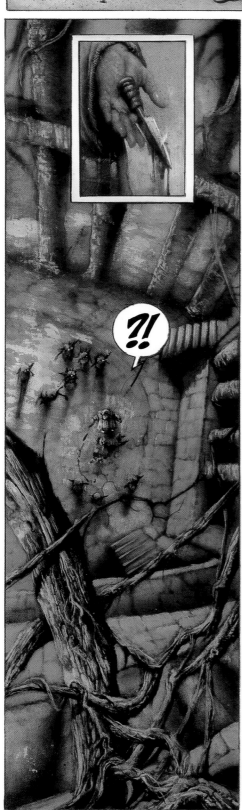

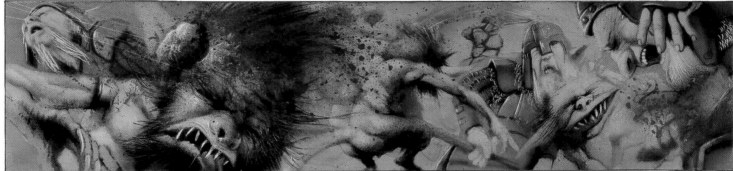

PAS SI VITE! ...

HAANN! ...

...IGNOBLE FACE DE RAT!

SCHLIÏNG

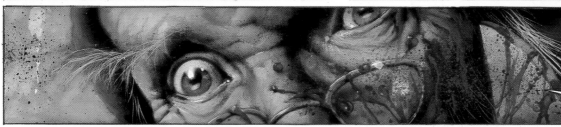

SA MORT A ÉTÉ RAPIDE! LORSQUE L'UN DES NÔTRES TOMBE ENTRE LEURS MAINS, LA SITUATION EST BIEN DIFFÉRENTE!

VICTOIRE!! PARTOUT, LA VERMINE BAT EN RETRAITE! ...

YYEEAAAAAA

ALLONS ANNONCER LA NOUVELLE À NOTRE REINE!

39.

SON ÂME S'EST ENVOLÉE LAISSANT SON CORPS INHABITÉ !... ET IL N'EST PAS, HÉLAS, EN MON POUVOIR DE REMÉDIER À CE MAL !...

POURTANT, TOUT N'EST PEUT-ÊTRE PAS PERDU !...

ÉCOUTE...

AFIN D'ARRACHER TON GRAND-PÈRE AUX GRIFFES DE BALOR, UNE ENTREPRISE QUI EST POUR NOUS, KORRIGANS, IMPOSSIBLE, LE CONSEIL DE NOTRE CLAN A DÉCIDÉ DE REQUÉRIR L'AIDE DES TUATHA DE DANANN !

MAIS, SOUVERAINE BIEN-AIMÉE...

... AVEC TOUT LE RESPECT QUI VOUS EST DÛ, IL EST AUSSI FOU DE VOULOIR RENCONTRER LES TUATHA DE DANANN QUE D'ASSAILLIR LA NOIRE FORTERESSE DE BALOR !

... EN PREMIER LIEU, NOUS NE POURRONS JAMAIS APPROCHER DE LA CÔTE SANS ÉVEILLER L'ATTENTION DES FORMOIRÉS !

... ENSUITE, QUAND BIEN MÊME Y RÉUSSIRIONS-NOUS, NOUS NE DISPOSONS D'AUCUNE EMBARCATION POUR ATTEINDRE L'ÎLE DES TUATHA DE DANANN...

... POUR FINIR, MÊME SI NOUS EN AVIONS UNE, IL NOUS RESTERAIT ENCORE À SURMONTER LE PIRE...

...L'OCÉAN ET SES FLOTS DÉCHAÎNÉS !!

MAJESTÉ, QUI SONT LES TUATHA DE DANANN ?...

CE SONT LES ENNEMIS DE TOUJOURS DES FORMOIRÉS...

DANS UN LOINTAIN PASSÉ, BALOR LUI-MÊME A ÉTÉ VAINCU PAR LUG, L'UN DES HÉROS DU PEUPLE DES TUATHA DE DANANN ! LESQUELS SERONT FORTEMENT INTÉRESSÉS D'APPRENDRE...

41.

... QUE BALOR ENLÈVE SECRÈTEMENT DES ÊTRES HUMAINS DURANT LA NUIT DE SAMAIN. NUL DOUTE QU'ILS VOUDRONT EN CONNAÎTRE LA RAISON ! ...

POUR DÉCOUVRIR CE QUI SE TRAME, BIEN LOIN DE LA GUERRE NAVALE INCESSANTE QU'ILS MÈNENT CONTRE LES FOMOIRÉS, CERTAINS D'ENTRE EUX DEVRONT VENIR JUSQU'ICI. À CETTE OCCASION, ILS POURRAIENT FORT BIEN DÉLIVRER TON GRAND-PÈRE !

... DE MÊME, LES TUATHA DE DANNAN SONT VERSÉS DANS L'ART DE LA MAGIE, CE QUI N'EST PAS NOTRE CAS, ILS POURRAIENT GUÉRIR TA MÈRE !

... ET ILS SERAIENT BIEN INSPIRÉS DE NOUS OFFRIR AUSSI LA PROTECTION DONT NOUS ALLONS TRÈS VITE AVOIR UN BESOIN CRUCIAL ! ...

... RESTE À SAVOIR À QUI VA ÉCHOIR L'INFORTUNE D'ALLER LES PRÉVENIR !

42

44

EMER ET MOI-MÊME SOMMES RESPONSABLES DU PÉRIL QUI MENACE NOTRE CLAN, NOUS NOUS PORTONS VOLONTAIRES!

?!

QUI PLUS EST, SI NOTRE REINE A ÉVOQUÉ LA POSSIBILITÉ D'OBTENIR DE L'AIDE AUPRÈS DES TUATHA DE DANANN, C'EST QU'ELLE-MÊME ET LES SAGES DE NOTRE VILLAGE ONT PENSÉ À UN MOYEN D'ARRIVER JUSQU'À EUX!

SINON, POURQUOI EN PARLER?

...CE MOYEN, JE PENSE L'AVOIR DEVINÉ!

AH OUAIS?! DANS CE CAS, DIS-LE-NOUS, QUE NOUS PUISSIONS JUGER DE L'ÉTENDUE DE TON ÉMINENTE CLAIRVOYANCE!...

JE N'Y VOIS PAS D'INCONVÉNIENT, EMER ET MOI-MÊME ALLONS...

...MOINS NOUS SERONS À SAVOIR DE QUOI IL RETOURNE EXACTEMENT, MEILLEURES SERONT LES CHANCES D'EOLAS ET D'EMER D'ACCOMPLIR LEUR QUÊTE!...

NON!! LES FOMÓIRÉS POURRAIENT CAPTURER L'UN OU L'AUTRE D'ENTRE-NOUS!

MAINTENANT IL EST TEMPS DE NOUS SÉPARER! NOUS N'AVONS QUE TROP TARDÉ!...

MAJESTÉ!

43.

45

...JE PARS AVEC EUX!

RÉFLÉCHIS BIEN, MON ENFANT! TU SERAIS PLUS EN SÉCURITÉ DANS LES MONTAGNES PARMI NOTRE CLAN!

C'EST TOUT RÉFLÉCHI, MAJESTÉ! JE PARS AVEC EOLAS ET EMER...

...S'ILS VEULENT BIEN DE MOI!

EOLAS, EMER! QU'EN PENSEZ-VOUS?

C'EST PURE FOLIE, MAJESTÉ! MAIS CE QUE NOUS ALLONS ENTREPRENDRE EST DÉJÀ UNE "PURE FOLIE", ET WAINE EST D'UNE BRAVOURE SANS ÉGALE!

TU PEUX LE DIRE! FACE AUX ÉPREUVES QUI ONT ÉTÉ LES SIENNES JUSQU'ICI, LA PLUPART D'ENTRE NOUS SE SERAIENT EFFONDRÉS...

...ALORS QU'ELLE EST ENCORE LÀ, DEBOUT, PRÊTE À AFFRONTER DE NOUVEAUX DANGERS!

44.

LE SORT EN EST DONC JETÉ! VOUS FEREZ ROUTE TOUS LES TROIS...

À PRÉSENT, PARTEZ!
...

EN AVANT! ET ARMEZ-VOUS DE COURAGE, KORRIGANS, CAR NOUS NE PRENDRONS PAS DE REPOS AVANT D'AVOIR ATTEINT LES MINES!

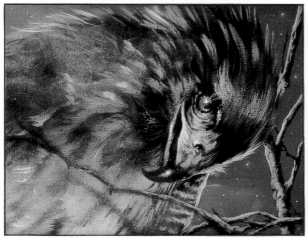

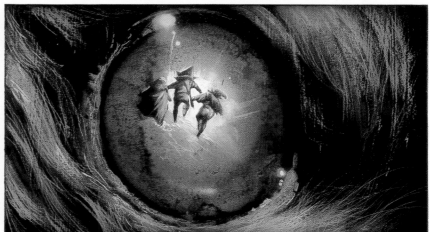

45.

JE LES AI TROUVÉES, PÈRE! TOUTES LES DEUX!...
LA FEMME EST MAL EN POINT! DEIRDRE ET LES SIENS FUIENT AVEC ELLE AFIN DE SE TERRER DANS LES MINES...
...QUANT À LA PETITE, ÉTRANGEMENT, ELLE SE DIRIGE VERS LE NORD, EN COMPAGNIE DE DEUX KORRIGANS SEULEMENT!
PARFAIT! LA CHASSE PEUT COMMENCER!...
ENVOIE TURMAC REMETTRE LES KORRIGANS SUR LE DROIT CHEMIN ET ASTUR S'EMPARER DE LA FILLETTE!
...JE N'AI ENCORE JAMAIS ÉTUDIÉ CE GENRE DE FRAGILE CRÉATURE! QUI SAIT, PEUT-ÊTRE DÉTIENT-ELLE CE QUE JE CHERCHE DEPUIS SI LONGTEMPS!!
MOSDI
CIVIELLO